携手消除贫困　促进共同发展

——在2015减贫与发展高层论坛的主旨演讲

（2015年10月16日）

习　近　平

人　民　出　版　社

携手消除贫困　促进共同发展

——在2015减贫与发展高层论坛的主旨演讲

（2015年10月16日）

习　近　平

尊敬的代比总统，

尊敬的基塔罗维奇总统，

尊敬的洪森首相，

尊敬的巴妮主席，

尊敬的加西亚副总统，

尊敬的克拉克署长，

尊敬的陈冯富珍总干事，

尊敬的卡马特行长，

尊敬的金立群候任行长，

尊敬的各位使节、各位贵宾,

女士们,先生们,朋友们:

消除贫困,自古以来就是人类梦寐以求的理想,是各国人民追求幸福生活的基本权利。第二次世界大战结束以来,消除贫困始终是广大发展中国家面临的重要任务。

在2000年召开的联合国千年首脑会议上,各国领导人通过了以减贫为首要目标的千年发展目标。那时以来,各国为实现千年发展目标采取行动,进行不懈努力。到今年,全球在消除贫困、普及教育、防治疟疾和肺结核等传染病、提供清洁饮用水、改善贫民窟居住条件等方面取得积极进展,特别是千年发展目标中的减贫目标基本完成,全球减贫事业取得重大积极进展。

在上个月召开的联合国发展峰会上,各国通过了以减贫为首要目标的2015年后发展议程,再次向世界展示了国际社会携手消除贫困的决心和信心。

由于种种原因,贫富悬殊和南北差距扩大问题依然严重存在,贫困及其衍生出来的饥饿、疾病、社会冲突等一系列难题依然困扰着许多发展中国家。

“足寒伤心，民寒伤国。”我们既为11亿人脱贫而深受鼓舞，也为8亿多人仍然在挨饿而深为担忧。实现全球减贫目标依然任重道远。

今天，我们相聚在北京，就是要向世界表明，我们将加强减贫发展领域交流合作，互学互鉴，共享经验，积极呼应和推动2015年后发展议程的落实。

女士们、先生们、朋友们！

中国是世界上最大的发展中国家，一直是世界减贫事业的积极倡导者和有力推动者。改革开放30多年来，中国人民积极探索、顽强奋斗，走出了一条中国特色减贫道路。我们坚持改革开放，保持经济快速增长，不断出台有利于贫困地区和贫困人口发展的政策，为大规模减贫奠定了基础、提供了条件。我们坚持政府主导，把扶贫开发纳入国家总体发展战略，开展大规模专项扶贫行动，针对特定人群组织实施妇女儿童、残疾人、少数民族发展规划。我们坚持开发式扶贫方针，把发展作为解决贫困的根本途径，既扶贫又扶志，调动扶贫对象的积极性，提高其发展能力，发挥其主体作用。我们坚持动员全社会参与，发挥中国制度优势，构建了政府、社会、市场协同推进的大扶贫格局，形成了跨地区、跨部门、跨单位、全社会共同参与的多元主体的社会扶贫体系。我们坚持普惠政策和特惠政策相结合，先后实施《国家八七扶贫攻坚计划（1993—2000年）》、《中国农村扶贫开发纲要（2001—2010年）》、《中国农村扶贫开发纲要（2011—2020年）》，在加大对农村、农业、农民普惠政策支持的基础上，对贫困人口实施特惠政策，做到应扶尽扶、应保尽保。

经过中国政府、社会各界、贫困地区广大干部群众共同努力以及国际社会积极帮助，中国6亿多人口摆脱贫困。2015年，联合国千年发展目标在中国基本实现。中国是全球最早实现千年发展目标中减贫目标的发展中国家，为全球减贫事业作出了重大贡献。

回顾中国几十年来减贫事业的历程，我有着深刻的切身体会。上个世纪60年代末，我还不到16岁，就从北京来到了陕北一个小村庄当农民，一干就是7年。那时，中国农村的贫困状况给我留下了刻骨铭心的记忆。我当时和村民们辛苦劳作，目的就是要让生活能够好一些，但这在当年几乎比登天还难。40多年来，我先后在中国县、市、省、中央工作，扶贫始终是我工作的一个重要内容，我花的精力最多。我到过中国绝大部分最贫困的地区，包括陕西、甘肃、宁夏、贵州、云南、广西、西藏、新疆等地。这两年，我又去了十几个贫困地区，到乡亲们家中，同他们聊天。他们的生活存在困难，我感到揪心。他们生活每好一点，我都感到高兴。

25年前，我在中国福建省宁德地区工作，我记住了中国古人的一句话："善为国者，遇民如父母之爱子，兄之爱弟，闻其饥寒为之哀，见其劳苦为之悲。"至今，这句话依然在我心中。

女士们、先生们、朋友们！

当前，中国人民正在为实现全面建成小康社会目标、实现中华民族伟大复兴的中国梦而努力。全面建成小康社会，实现中国梦，就是要实现人民幸福。尽管中国取得了举世瞩目的发展成就，但中国仍然是世界上最大的发展中国家，缩小城乡和区域发展差距依然是我们面临的重大挑战。全面小康是全体中国人民的小康，不能出现有人掉队。未来5年，我们将使中国现有标准下7000多万贫困人口全部脱贫。这是中国落实2015年后发展议程的重要一步。

为了打赢这场攻坚战，我们将把扶贫开发作为经济社会发展规划的主要内容，大幅增加扶贫投入，出台更多惠及贫困地区、贫困人口的政策措施，提高市场机制的益贫性，推进经济社会包容性发展，实施一系列更有针对性的重大发展举措。

现在，中国在扶贫攻坚工作中采取的重要举措，就是实施精准扶贫方略，找到"贫根"，对症下药，靶向治疗。我们坚持中国制度的优势，构建省市县乡村五级一起抓扶贫，层层落实责任制的治理格局。我们注重抓六个精准，即扶持对象精准、项目安排精准、资金使用精准、措施到户精准、因村派人精准、脱贫成效精准，确保各项政策好处落到扶贫对象身上。我们坚持分类施策，因人因地施策，因贫困原因施策，因贫困类型施策，通过扶持生产和就业发展一批，通过易地搬迁安置一批，通过生态保护脱贫一批，通过教育扶贫脱贫一批，通过低保政策兜底一批。我们广泛动员全社会力量，支持和鼓励全社会采取灵活多样的形式参与扶贫。

授人以鱼，不如授人以渔。扶贫必扶智，让贫困地区的孩子们接受良好教育，是扶贫开发的重要任务，也是阻断贫困代际传递的重要途径。我们正在采取一系列措施，让贫困地区每一个孩子都能接受良好教育，让他们同其他孩子站在同一条起跑线上，向着美好生活奋力奔跑。

女士们、先生们、朋友们！

消除贫困是人类的共同使命。中国在致力于自身消除贫困的同时，始终积极开展南南合作，力所能及向其他发展中国家提供不附加任何政治条件的援助，支持和帮助广大发展中国家特别是最不发达国家消除贫困。60多年来，中国共向166个国家和国际组织提供了近4000亿元人民币援助，派遣60多万援助人员，其中700多名中国好儿女为他国发展献出了宝贵生命。中国先后7次宣布无条件免除重债穷国和最不发达国家对华到期政府无息贷款债务。中国积极向亚洲、非洲、拉丁美洲和加勒比地区、大洋洲的69个国家提供医疗援助，先后为120多个发展中国家落实千年发展目标提供帮助。

消除贫困依然是当今世界面临的最大全球性

挑战。未来15年,对中国和其他发展中国家都是发展的关键时期。我们要凝聚共识、同舟共济、攻坚克难,致力于合作共赢,推动建设人类命运共同体,为各国人民带来更多福祉。为此,我愿提出如下倡议。

第一,着力加快全球减贫进程。在未来15年内彻底消除极端贫困,将每天收入不足1.25美元的人数降至零,是2015年后发展议程的首要目标。如期实现这一目标,发达国家要加大对发展中国家的发展援助,发展中国家要增强内生发展动力。在前不久召开的联合国系列峰会上,我代表中国政府提出了帮助发展中国家发展经济、改善民生的一系列新举措,包括中国将设立"南南合作援助基金",首期提供20亿美元,支持发展中国家落实2015年后发展议程;继续增加对最不发达国家投资,力争2030年达到120亿美元;免除对有关最不发达国家、内陆发展中国家、小岛屿发展中国家截至2015年底到期未还的政府间无息贷款债务;未来5年向发展中国家提供"6个100"的项目支持,包括100个减贫项目、100个农业合作项目、100个促贸援助项目、100

个生态保护和应对气候变化项目、100所医院和诊所、100所学校和职业培训中心；向发展中国家提供12万个来华培训和15万个奖学金名额，为发展中国家培养50万名职业技术人员，设立南南合作与发展学院，等等。

“仁义忠信，乐善不倦”。中国人民历来重友谊、负责任、讲信义，中华文化历来具有扶贫济困、乐善好施、助人为乐的优良传统。在此，我愿重申中国对全球减贫事业的坚定承诺。

第二，着力加强减贫发展合作。推动建立以合作共赢为核心的新型国际减贫交流合作关系，是消除贫困的重要保障。中国倡导和践行多边主义，积极参与多边事务，支持联合国、世界银行等继续在国际减贫事业中发挥重要作用；将同各方一道优化全球发展伙伴关系，推进南北合作，加强南南合作，为全球减贫事业提供充足资源和强劲动力；将落实好《中国与非洲联盟加强减贫合作纲要》、《东亚减贫合作倡议》，更加注重让发展成果惠及当地民众。中国将发挥好中国国际扶贫中心等国际减贫交流平台作用，提出中国方案，贡献中国智慧，更加有效地促进广大发展中国家交流分享减贫经验。

第三，着力实现多元自主可持续发展。中国坚定不移支持发展中国家消除贫困，推动更大范围、更高水平、更深层次的区域合作，对接发展战略，推进工业、农业、人力资源开发、绿色能源、环保等各领域务实合作，帮助各发展中国家把资源优势转化为发展优势。前不久，我在联合国主持召开了南南合作圆桌会，同20多位国家领导人和国际组织负责人一道，交流南南合作经验，达成广泛深入的共识。中方愿同广大发展中国家不断深化减贫等各领域的南南合作，携手增进各国人民福祉。

第四，着力改善国际发展环境。维护和发展开放型世界经济，推动建设公平公正、包容有序的国际经济金融体系，为发展中国家发展营造良好外部环境，是消除贫困的重要条件。中国提出共建丝绸之路经济带和21世纪海上丝绸之路，倡议筹建亚洲基础设施投资银行，设立丝路基金，就是要支持发展中国家开展基础设施互联互通建设，帮助他们增强自身发展能力，更好融入全球供应链、产业链、价值链，为国际减贫事业注入新活力。

最后，我呼吁，让我们携起手来，为共建一个没有贫困、共同发展的人类命运共同体而不懈奋斗！

祝这次论坛圆满成功！

谢谢大家。

图书在版编目（CIP）数据

携手消除贫困　促进共同发展：在2015减贫与发展高层论坛的主旨演讲/习近平 著. —北京：人民出版社，2015.10

ISBN 978-7-01-015400-8

Ⅰ.①携…　Ⅱ.①习…　Ⅲ.①习近平-讲话-学习参考资料 ②扶贫-经济政策-中国　Ⅳ.①D2-0 ②F124.7

中国版本图书馆CIP数据核字（2015）第247227号

（RMC-ZJDXI-026-20151016）

携手消除贫困　促进共同发展

XIESHOU XIAOCHU PINKUN CUJIN GONGTONG FAZHAN

——在2015减贫与发展高层论坛的主旨演讲

（2015年10月16日）

习　近　平

人民出版社 出版发行

（100706　北京市东城区隆福寺街99号）

北京新华印刷有限公司印刷　新华书店经销

2015年10月第1版　2015年10月北京第1次印刷

开本：880毫米×1230毫米 1/32　印张：0.5

字数：8千字　印数：00,001-20,000册

ISBN 978-7-01-015400-8　定价：2.00元

邮购地址 100706　北京市东城区隆福寺街99号

人民东方图书销售中心　电话（010）65250042　65289539